Mały Rubi
w tarapatach

Ilustracje: Sophy Williams

Przekład: Jacek Drewnowski

WYDAWNICTWO 🦉 ZIELONA SOWA

Dla Eddiego i Jamiego – piszcie dalej!

Tytuł oryginału: *Timmy In Trouble*

Przekład: Jacek Drewnowski

Redaktor prowadząca: Sylwia Burdek

Korekta: Małgorzata Biernacka

Typografia: Stefan Łaskawiec

Skład i łamanie: MEDIA SPEKTRUM

ISBN 978-83-265-0481-5

Wydawnictwo Zielona Sowa Sp. z o.o.
00-807 Warszawa, Al. Jerozolimskie 96
tel. 22 576 25 50, fax 22 576 25 51
www.zielonasowa.pl
wydawnictwo@zielonasowa.pl

Książkę wydrukowano na papierze Ecco Book Lux 90 g/m^2 wol. 1.8
dostarczonym przez firmę antalis© | map.

Rozdział pierwszy

– Jak ci idzie, Kasiu? – spytał tata.

– Na razie się zastanawiam... – Kasia bazgroliła na kartce listę wymarzonych prezentów gwiazdkowych. Narysowała małą psią mordkę z wielkimi, długimi uszami i okrągłymi, ciemnymi oczami. Uśmiechnęła się do siebie. Narysowany piesek był taki uroczy!

– Do świąt zostały tylko cztery tygodnie – zauważył tata. – Dziadkowie też chcą wiedzieć, co chciałabyś dostać pod choinkę. Skończy się na tym, że dostaniesz skarpetki, jeśli nie podsuniesz im jakichś pomysłów.

Lista nie była zbyt długa: kilka książek, nowe trampki i telefon komórkowy. Wiedziała, że telefonu i tak nie dostanie, bo zdaniem mamy była jeszcze za mała, żeby mieć telefon.

– To wszystko? – spytał tata ze zdziwieniem, zajrzawszy jej przez ramię.

Kasia popatrzyła na niego z namysłem. Czy to był właściwy moment, żeby spytać?

Tata zerknął na listę Joli. Starsza siostra Kasi – Jola siedziała po drugiej stronie stołu i już napisała bardzo długą listę prezentów. Długą, a przy tym bardzo niechlujną.

– Nie mogę nic z tego odczytać – poskarżył się tato. – Musisz ją przepisać, Jolu.

Jola opuściła spojrzenie na swoją kartkę i uśmiechnęła się.

– To nie moja wina. Pchełka ciągle przychodzi i mi przeszkadza, wiesz, jaka ona jest! Kotka przestała myć łapki, gdy usłyszała swoje imię, po czym popatrzyła na nich wzrokiem niewiniątka. Zdawała się mówić: „kto, ja?". Uwielbiała papier i jeśli ktoś pisał albo czytał gazetę, nie była zadowolona, dopóki nie usiadła na środku strony.

Jola oparła się o blat, by spojrzeć na listę siostry.

– Nie dostaniesz telefonu – zauważyła. – Nawet mnie mama nie pozwala mieć komórki. Nie możesz chcieć tylko pary trampek.

– Szykuje się miły świąteczny wypad na zakupy – powiedziała mama, która weszła do kuchni.

Kasia uśmiechnęła się z nadzieją. Wpisała telefon na listę tylko po to, by rodzice się nie zgodzili, bo może potem będą bardziej skłonni dać jej to, na czym naprawdę jej zależało.

– Czyli nie mogę mieć telefonu? – westchnęła.

– Absolutnie nie! – odparła zdecydowanie mama.

– Oj – jęknęła Kasia, wykreślając ten punkt z listy. Starała się mówić z zawodem w głosie, ale nie brzmiało to zbyt przekonująco. – No ale jest coś jeszcze...

Tata skrzyżował ramiona, uśmiechając się do niej.

– Wiedziałem, że musi być coś jeszcze! Co to takiego, słoń?

Kasia uśmiechnęła się w odpowiedzi.

– Niezupełnie. Ale... też zwierzę – odetchnęła głęboko. – Bardzo, bardzo chcę mieć jakiegoś zwierzaka.

Mama i tata wymienili pełne namysłu spojrzenia, a Jola przestała gryźć długopis i gwałtownie się wyprostowała.

– Zwierzaka! Nie możemy mieć drugiego kota, bo co wtedy z Pchełką?! Byłaby bardzo zła.

Kasia pokręciła głową.

– Wiem. Nie chcę kota. Chcę psa. Szczeniaka. To jest mój absolutnie wymarzony prezent pod choinkę i o niczym innym nie marzę. Proszę? – dodała, uśmiechając się do ojca tak słodko, jak tylko umiała. Wiedziała, że kocha psy...

– Nie jestem pewna, czy to dobry pomysł – powiedziała spokojnie mama. Popatrzyła na Pchełkę, która znowu zajęła się toaletą. – Jolu, proszę, nie pozwól Pchełce siedzieć na stole. Ma brudne łapki.

– Niemożliwe, przecież ciągle je myje! – zauważyła rezolutnie Jola. – Tak czy siak, wskoczy z powrotem, jak już nie będziesz patrzyła.

Mama podniosła kotkę i pogłaskała ją pod brodą.

– Nie na stół, Pchełko – powiedziała z naciskiem.

Pchełka patrzyła na nią, czekając, aż się odwróci. Wtedy wskoczyła z powrotem na blat. Kasia, tata i Jola zachichotali, a mama obejrzała się przez ramię i westchnęła.

– Chyba będę po prostu udawać, że tego nie widziałam – mruknęła.

– Mamo, czemu to nie jest dobry pomysł? – spytała Kasia z błaganiem w głosie. – Wspaniale byłoby mieć psa. Psy można szkolić – przekonywała. – Pies byłby na pewno grzeczniejszy od Pchełki!

Kotka zgromiła Kasię spojrzeniem, po czym zeskoczyła na kolana siostry.

– Pchełka jest bardzo grzeczna – zaprotestowała Jola i delikatnie ją pogłaskała.

– W każdym razie – ciągnęła Jola – nie sądzę, żeby Pchełka była zachwycona, gdybyśmy mieli psa. Nie cierpi psów. Pamiętacie, jak się zdenerwowała, kiedy Mika od sąsiadów przeszła pod ogrodzeniem? Godzinami siedziała na jabłonce!

Mama skinęła głową.

– Wiem. Pchełka może być niezadowolona. Musielibyśmy ją szczególnie rozpieszczać. A kto miałby się opiekować tym psem, kiedy wy będziecie w szkole? Pewnie ja! – mimo wszystko mama się uśmiechała.

– No, gdybyśmy faktycznie mieli szczeniaka, musielibyśmy bardzo uważać. Należałoby powoli przedstawiać go Pchełce, żeby zdążyli do siebie przywyknąć – tata uśmiechnął się z namysłem. – Miałem psa, kiedy byłem w waszym wieku. To była świetna zabawa. Często chodziliśmy na spacery do parku i do lasu. Masz już osiem lat, Kasiu, i chyba jesteś wystarczająco duża, żeby pomagać w opiece nad pieskiem, karmić go i pielęgnować. To by ci pomogło nauczyć się odpowiedzialności.

– To znaczy, że możemy mieć pieska? – wykrzyknęła Kasia i podskoczyła z radości, omal nie przewracając krzesła.

– Nie – odparł zdecydowanym głosem tata. – To znaczy, że się zastanowimy. Nie mówimy „nie", ale nie mówimy też „tak". Musimy to bardzo dokładnie przemyśleć, takich decyzji nie można podejmować w jednej chwili.

Kasia jednak dostrzegła jego tęskne spojrzenie, gdy wspominał spacery z psem. I była niemal pewna, że tak naprawdę chciał powiedzieć „tak".

Rozdział drugi

W ten weekend tata nie chciał już nic mówić o psach. Kasia próbowała kilka razy pytać, czy on i mama mieli czas o tym pomyśleć, ale nie chciała teraz działać mu na nerwy. Nie chciało jej się wierzyć, że naprawdę może dostać pieska! Miała oczywiście nadzieję, ale tak naprawdę nie spodziewała się, że się zgodzą. Ale była taka podekscytowana!

W niedzielny poranek bardzo długo przeglądała na komputerze ulubione strony internetowe o psach, zastanawiając się, jakiego pieska mogłaby dostać, i czytając wszystkie porady dla początkujących właścicieli psów. Taki nowicjusz musiał się bardzo wiele nauczyć. Zwłaszcza jeśli miał już innego zwierzaka – na przykład Pchełkę.

Tej nocy Kasia śniła o psach. Biegła przez las z cudownym szczeniakiem, takim samym, jakiego opisał tata. Gdy się zbudziła, na jej twarzy malował się szeroki uśmiech, chociaż nie do końca pamiętała, jak ten piesek wyglądał. Brązowo-biały, przypominała sobie, z dużymi, oklapniętymi uszami. Pamiętała jednak dokładnie wesołe szczekanie i miękki dotyk puszystej sierści pod palcami. Sen był cudowny. A istniała możliwość, że się spełni!

Ciągle się uśmiechała, gdy schodziła po schodach na śniadanie, w niedbale włożonym mundurku szkolnym i z włosami w strąkach.

Mama tylko na nią spojrzała i od razu odesłała ją na górę.

– Uczesz się, Kasiu, i zepnij włosy. Pamiętaj, że masz dziś WF – uśmiechnęła się. – Na twoim miejscu bym się pospieszyła. Tata i ja mamy wam coś do powiedzenia!

Kasia pognała z powrotem na górę, do łazienki. Gdy galopowała po schodach, słyszała, jak Jola pyta, co się dzieje.

Wróciła niecałe dwie minuty później. Włosy miała związane w kucyki, chociaż jeden był wyżej od drugiego, a gumki były w różnych kolorach.

– O co chodzi? Co chcecie nam powiedzieć? – wydyszała, wpadając do kuchni.

Tata bardzo, bardzo powoli przeżuwał płatki. Puścił do niej oko. Trzymanie córek w niepewności wyraźnie sprawiało mu frajdę.

Mama pokręciła głową.

– Nie dokuczaj Kasi, Grzesiu! To nieuczciwe! – po tych słowach posłała lekko zaniepokojone spojrzenie Joli.

– Dobrze, dobrze! – tata odłożył miseczkę z płatkami, po czym uśmiechnął się promiennie do młodszej córki. – Tak!

– Tak? Naprawdę?! – Kasia podskoczyła kilka razy ze szczęścia i pobiegła uściskać ojca. – Kiedy? W te święta? Dostaniemy szczeniaka na święta!

– Nie możesz! – wykrzyknęła Jola. Odsunęła od siebie talerz i wstała. – Po prostu nie możesz, tato! Co z Pchełką?

Zresztą Kasia nie umie się opiekować psem! A te wszystkie reklamy w telewizji, żeby nie dawać psów w prezencie? „Pies jest na całe życie, nie tylko na gwiazdkę". Ludzie co roku porzucają tyle biednych psiaków, to jest niewłaściwe postępowanie!

Tata z powagą pokiwał głową.

– Wiem, Jolu. Usiądź. Ty też, Kasiu. Nie skończyłem wyjaśniać.

Jola usiadła, wyraźnie przejęta, a Kasia poszła w jej ślady, chociaż była tak uszczęśliwiona, że ledwie mogła usiedzieć na miejscu.

Tata nachylił się w ich stronę.

– Nie damy ci szczeniaka pod choinkę, Kasiu...

Dziewczynka szeroko otworzyła oczy z przerażenia.

– Ale mówiłeś...

– Weźmiemy szczeniaka, ale to będzie

rodzinny pies. Tak jak Pchełka jest rodzinnym kotem, Jolu. Masz rację, że Kasia jest trochę za mała, żeby sama ponosiła całą odpowiedzialność za psa – tata uśmiechnął się do Kasi. – Pies wymaga wiele opieki, więc nie martw się, będziesz miała co robić.

Dziewczynka miała ochotę wtrącić się i powiedzieć, że na pewno jest już wystarczająco duża, ale stwierdziła, że może lepiej nic nie powie.

Mama nachyliła się, by wziąć Jolę za rękę.

– Spróbuj się nie przejmować. Wiemy, że musimy bardzo uważać, kiedy Pchełka pozna tego psiaka. Wszyscy zrobimy co w naszej mocy, żeby się nie denerwowała.

– I szczeniak nie przyjdzie do nas na gwiazdkę, Kasiu – dodał tata. – Spróbujemy wziąć go przed świętami, jeśli się uda, a może dopiero po świętach. W Boże Narodzenie zbyt wiele się dzieje. To nie najlepszy moment, żeby sprowadzać do domu nowe zwierzę. Mama i ja uzgodniliśmy, że poszukamy w okolicy kogoś ze szczeniętami na sprzedaż. Zadowolona? – tata promieniał.

Kasia radośnie pokiwała głową, ale Jola wbiła spojrzenie w stół i splatała palce.

– Nadal uważam, że Pchełka go nie zaakceptuje – mruknęła. Z niepokojem popatrzyła na kotkę, która drzemała przy kuchennym kaloryferze na swoim ulubionym różowym kocyku. Kocyk należał do Joli, kiedy była mała, a potem przejęła go Pchełka.

– Jakiego psa weźmiemy? – spytała Kasia, nie zważając na nadąsaną starszą siostrę. Żałowała, że nie pamięta lepiej szczenięcia ze swojego snu.

– Na pewno niezbyt dużego! – szybko powiedziała mama.

– Ale też niezbyt małego. Chcemy chodzić na długie, miłe spacery – tata mówił tak, jakby naprawdę nie mógł się doczekać psa. – Może teriera? Airedale teriery to wspaniałe psy, bardzo przyjazne.

– Zawsze lubiłam mopsy – powiedziała z namysłem mama.

– Te z pomarszczonymi mordkami? – spytała Kasia i zachichotała.

Mama przytaknęła.

– Podobają mi się te ich podwinięte ogony – stwierdziła z uśmiechem. – A ty, Kasiu? To był twój pomysł. Jakiego psa byś chciała?

Dziewczynka wróciła myślami do swojego snu.

– Jakie psy mają długie uszy? – spytała, marszcząc nos i próbując przypo-

mnieć sobie więcej szczegółów. –
Brązowo-biały szczeniak z długimi
uszami. Śnił mi się taki ostatniej nocy.

Jola prychnęła, jakby uważała, że to
głupie.

– Nie można wybierać psa z powodu
snu.

– Dlaczego nie? – spytała łagodnie
mama. – Kasia dużo o tym myślała. Pewnie dlatego przyśnił jej się szczeniak.

– Może to był spaniel? – podsunął tata. Wstał i zniknął w salonie. Słyszeli,
jak mruczy coś pod nosem, przeszuku-
jąc półkę z książkami, a potem wrócił
z należącym do Kasi albumem z naklej-
kami przedstawiającymi psy. – Czy wyglądał podobnie do tego?

Kasia wzięła album i aż westchnęła
z zachwytu. To był on. Mały, brązowo-
-biały pies, patrzący figlarnie z naklejki
błyszczącymi, czujnymi oczami.

– Cocker spaniel – przeczytała pod-
pis. – O tak! To znaczy, pokochałabym
każdego psa... nawet z pogniecioną
mordką, mamo! Ale naprawdę bardzo
bym chciała właśnie takiego...

Rozdział trzeci

Kilka dni później Kasia klęczała na fotelu przy oknie w salonie, czekając na powrót taty z pracy. Gdy tylko zobaczyła, że idzie, wypadła przez drzwi wejściowe i popędziła w jego stronę.

– Szybciej, tato, spóźniłeś się! Czekałam całe wieki!

Tata spojrzał na zegarek.

– Dopiero szósta, zwykle wracam o tej porze. Mama ugotowała specjalny obiad czy co? Po co ten pośpiech?

– Wydawało mi się, że jest później – odparła rozemocjonowana dziewczynka. – Musimy szybko zjeść obiad, bo pojedziemy obejrzeć małe cocker spaniele! Mama dowiedziała się o szczeniętach, hodowca mieszka tylko dwadzieścia minut drogi stąd!

Na szczęście tata był równie podekscytowany jak ona, zwłaszcza gdy usłyszał, że Kasia widziała zdjęcia szczeniąt na stronie internetowej hodowcy i jedno z nich okazało się brązowo-białe, dokładnie takie jak w albumie. Oboje skończyli jeść na długo przed mamą i Jolą. Kasia zgromił mamę wzrokiem, gdy ta zaczęła później parzyć kawę.

– Maaamo – jęknęła. – Musimy iść! Mówiliśmy, że o tej porze już tam będziemy!

Jola kończyła jeszcze jogurt, każdą łyżeczkę przeciągając w nieskończoność, i Kasia skrzywiła się także do niej.

– Robisz to specjalnie! – stwierdziła oskarżycielskim tonem. – Niezbyt lubisz jogurt, nie musisz skrobać kubeczka do czysta!

– Idź włożyć płaszczyk, Kasiu – poleciła mama. – Najwyraźniej nie będzie spokoju, dopóki nie pójdziemy! Pospiesz się, Jolu, rzeczywiście bardzo to przeciągasz.

Jola prychnęła, ale wyrzuciła kubeczek do śmieci i też poszła po kurtkę. Wyglądała, jakby szła odrabiać pracę domową, a nie oglądać cudowne szczenięta.

– Co się stało? – spytała jej Kasia na tylnym siedzeniu samochodu. Była bardzo rozradowana perspektywą oglądania szczeniąt, ale obok niej Jola rozsiewała wokół siebie mroczną aurę. Kasia nie mogła tego ignorować. – Jesteś zazdrosna? – szepnęła. – Zrobiłaś się taka ponura.

Jola sprawiła wrażenie, jakby chciała coś ostro odpowiedzieć, ale potem westchnęła. – Nie. Martwię się o Pchełkę, nic poza tym.

– Może jednak będzie chciała zaprzyjaźnić się z psem – zasugerowała z nadzieją Kasia.

Ale Jola wyraźnie w to powątpiewała.

– Zobaczymy – bąknęła.

Szczenięta okazały się tak urocze, jak Kasia sobie wyobrażała. Na tyłach domu hodowcy znajdowała się cieplarnia, w której przebywały pieski. Kasia usłyszała ich piski i poszczekiwania, gdy tylko przekroczyli próg.

Pani Barbara, hodowczyni, roześmiała się na widok Kasi, która podskakiwała z niecierpliwości, kiedy rodzice weszli za nią do przedpokoju.

– Chodźmy je zobaczyć – powiedziała, prowadząc wszystkich do cieplarni.

Drzwi były przegrodzone drewnianą płytą, sięgającą kolan, by szczenięta nie opuszczały swojego terytorium. Turlały się po całym pomieszczeniu, podczas gdy ich matka obserwowała je z wygodnej poduszki.

Kasia nie dostrzegała brązowo-białego maleństwa, które tak jej się spodobało na stronie internetowej.

– Na zdjęciach był brązowo-biały piesek. Czy już ktoś go zabrał? – spytała z niepokojem.

Kobieta rozejrzała się po pomieszczeniu.

– Wielkie nieba, gdzie on się podział? Jest najśmielszy z wszystkich. Aha! – uśmiechnęła się i wyciągnęła rękę. – Patrz! Widzisz tę dużą kartonową tubę?

Kasia pokiwała głową. Tuba trzęsła

się i na jej oczach z jednego końca wychynął brązowy nosek, a za nim krótkie wąsy i para błyszczących, ciemnych oczu. Brązowo-biały szczeniak wyskoczył ze środka i z ciekawością popatrzył na gości.

– O, jaki cudowny! – Kasia zachichotała.

– Chcesz tam wejść i się z nimi pobawić? – spytała hodowczyni.

– Tak, proszę! – odparła z zapałem dziewczynka.

– Dobrze się czują w towarzystwie obcych? – spytał tata.

– Są dość przyjazne – odparła pani Barbara.

– Pamiętaj, musisz być bardzo delikatna, Kasiu – powiedział tata.

Wkrótce cała rodzina siedziała na podłodze, a pieski obwąchiwały ich, lizały i wspinały się na nich. Nawet Jola

nie mogła się oprzeć małym puchatym kulkom. Szczeniąt było tylko pięć, ale zdawało się, że jest ich więcej, gdy tak się wierciły i biegały wokół. Brązowo--biały piesek wyraźnie tu rządził, a przynajmniej tak mu się wydawało. Kasia patrzyła na niego z zachwytem. Bardzo chciała go podnieść, ale bała się, że go przestraszy.

Szczeniak popatrzył na nią z zainteresowaniem. Ładnie pachniała. Bardzo przyjaźnie.

Kasia delikatnie wyciągnęła wierzch dłoni, by ją obwąchał, a on podczołgał się do niej, lekko kołysząc ogonem. Powąchał jej palce, a potem trącił je noskiem.

– Masz zimny nos – szepnęła. Przeciągnęła palcami po jedwabistym, okrągłym łebku. Miał taką miękką sierść.

Szczeniak błogo przymknął oczy i oparł brodę na kolanie Kasi. To było bardzo miłe.

– Śliczny jest – mruknął tata. – Jak myślisz, Kasiu? To ten?

Rozdział czwarty

Było wiele do zrobienia, zanim rodzina Kasi mogła sprowadzić szczenię do domu. Następnego dnia Kasia, Jola i mama wstąpiły w drodze powrotnej ze szkoły do sklepu zoologicznego z przygotowaną wcześniej długą listą. Kasia wzięła z sobą kieszonkowe, chociaż po kupieniu prezentów dla rodziny nie zostało jej wiele pieniędzy. Na pewno za mało na wszystko, co chciała kupić dla nowego szczeniaka.

– Kasiu! Chodź, wybierzesz obrożę i smycz! – zawołała mama sprzed lady.

Dziewczynka przestała zastanawiać się nad piszczącą rybką a jasnopomarańczową nylonową kością, po czym podbiegła do mamy.

– Jak myślisz, jaki kolor? – spytała kobieta z namysłem. – Ta niebieska jest ładna.

Kasia pokiwała głową.

– Taaak... Ale nie sądzisz, że wyglądałby pięknie w czerwonej obroży? Świetnie by pasowała do jego brązowo-białej sierści – wzięła jaskrawą obrożę i podniosła ją do góry.

Mama dołożyła obrożę i smycz do sterty na ladzie, na którą składały się poduszka do spania, wielki worek karmy dla szczeniąt oraz miski na jedzenie i wodę.

– Znalazłaś mu zabawkę, Kasiu? I gdzie Jola, chciała coś kupić?

– Wybiera prezent gwiazdkowy dla Pchełki. Przyprowadzę ją. Już prawie wybrałam zabawki.

Zdołała się ograniczyć do trzech psich zabawek i pięć minut później szły już do domu, obładowane torbami.

– Brakuje tylko jednego, dziewczęta. Musimy jeszcze wymyślić, jak nazwiemy szczeniaka. Uff, jaka ciężka ta karma! – mama przełożyła torbę do drugiej ręki.

– Zastanawiałam się nad tym! – Kasia podniosła dużą fioletową poduszkę, którą wybrały dla pieska do spania. Sprzedawca w sklepie powiedział, że niektóre szczenięta lubią gryźć koszyki, więc poduszki są lepsze. – Myślę, że pasuje do niego imię Rubi. Troszkę nieposłuszny, ale bardzo uroczy. – Popatrzyła z niepokojem na mamę i Jolę.

– Rubi... Tak, podoba mi się to imię – stwierdziła mama.

Jola wzruszyła tylko ramionami. Chociaż podobało jej się głaskanie szczeniąt w domu pani Barbary, ciągle nie była pewna, czy powinni brać jedno do domu.

– Może być – mruknęła.

Po powrocie do domu Kasia chodziła po kuchni, przymierzając poduszkę i miski do różnych miejsc.

– Kasiu, nie mogę gotować, jeśli psia poduszka leży przed piekarnikiem – zauważyła mama. – Spróbuj przy kaloryferze, tam będzie miło i ciepło.

Kasia odsunęła kocyk Pchełki, po czym cofnęła się i popatrzyła na poduszkę.

– Doskonale! – stwierdziła z radością.

Pchełka wkradła się do kuchni z korytarza i stanęła. Ktoś położył dużą fioletową poduszkę dokładnie w jej ulubionym miejscu do spania. Podeszła i podniosła na Kasię oskarżycielski wzrok.

– Cześć, Pchełko! – Kasia nachyliła się, by ją pogłaskać. – Zobacz, tutaj będzie spał twój nowy przyjaciel. To szczeniak i nazywa się Rubi. Jest taki słodki, na pewno go pokochasz!

Pchełka weszła na swój puchaty różowy koc i usiadła, wciskając się na miejsce obok wielkiej poduszki. Popatrzyła na nią z dezaprobatą – co się działo?

Kasia nie zauważyła. Popatrzyła na kalendarz ścienny, żałując, że musi minąć jeszcze tyle czasu, zanim Rubi znajdzie się w domu.

– Do soboty jeszcze całe trzy dni! – westchnęła. – Całe wieki!

Brązowo-biały piesek patrzył z namysłem na okno. Było tylko lekko uchylone, ale wlatywały przez nie najcudow-niejsze zapachy. Świeże powietrze, zimny grunt, otwarta przestrzeń. Pach-niało wspaniale. Szczenięta nie mogły jeszcze wychodzić na dwór, bo były za małe, ale brązowo-biały piesek rozpacz-liwie pragnął zwiedzać świat. Skąd się brały te wszystkie wspaniałe wonie?

Rozejrzał się. Jego bracia i siostry przysypiali w koszyku, mama też drze-mała. Pomyślał, że gdyby wyszedł teraz na małą przechadzkę, pewnie nikt by nie zauważył...

Pani Barbara zostawiła otwarte okno, żeby przewietrzyć pokój, ale upewniła się, że jest tylko leciutko uchylone. Oczywiście pieski nie były na tyle duże ani silne, żeby dostać się na parapet! Były na to o wiele za małe.

Szczeniak popatrzył w górę. Pod oknem stało krzesło. Wciąż było dla niego za wysokie, ale obok znajdowało się stare kartonowe pudło, które pani Barbara dała im do zabawy. Gdyby się najpierw na nie wspiął, może zdołałby doskoczyć na krzesło, a potem na parapet?

Wdrapał się na pudło, skrobiąc je pazurkami. Później wykonał następny skok na krzesło. Hmmm. Do okna ciągle miał daleko. Ale...

– Oj, ty niegrzeczny maluchu! – pani Barbara była na wpół roześmiana, na wpół rozzłoszczona, gdy podnosiła brązowo-białego pieska, który stanął już na siedzisku krzesła z łapkami na oparciu i z nadzieją patrzył na otwarte okno. – Mogłeś sobie zrobić krzywdę. I pewnie chciałeś się dostać do okna. Lepiej je zamknę – uśmiechnęła się. – Chyba twoja nowa rodzina powinna cię nazwać Łobuzem. Dasz im się we znaki!

W sobotę rano Kasia obudziła się wcześnie z cudownym uczuciem. Wciąż była śpiąca i potrzebowała kilka minut, by uświadomić sobie, czemu jest taka szczęśliwa. Był pierwszy dzień przerwy

świątecznej, ale chodziło o coś więcej... Potem sobie przypomniała. Dzisiaj mieli przywieźć Rubiego! Wyskoczyła z łóżka i szybko włożyła ubranie.

Pognała po schodach na dół, zastanawiając się, gdzie są wszyscy pozostali. Pchełka popatrzyła na nią z wyrzutem, gdy dziewczynka z hukiem otworzyła na oścież drzwi kuchni. Kotka obróciła się na swoim kocyku i położyła się do niej tyłem.

Kasia miała już dreszcze z niecierpliwości, zanim reszta rodziny wstała. Nie rozumiała, jak tata może siedzieć z gazetą i tak wolno pić kawę.

– Kiedy jedziemy? – zakwiliła, stojąc w drzwiach kuchni w kurtce.

– Samochodem jedzie się tam tylko dwadzieścia minut – zauważyła mama.

Dziewczynka zmarszczyła brwi.

– Ale przynajmniej pięć minut wsiada

się do samochodu! To nieładnie się spóźniać, mamo, zawsze tak mówisz.

– No to nadal zostaje nam pół godziny – tata złożył gazetę. – Ktoś jeszcze chce dokładkę tostów?

– Oj! – jęknęła Kasia i wymaszerowała z pomieszczenia.

W domu pani Barbary szczenięta wspaniale się bawiły dużą kartonową tubą. Ledwie się w niej teraz mieściły i przeciskały się przez nią, gryząc nawzajem swoje ogony.

Nagle z wnętrza tuby dobiegło drapanie i szuranie, po czym z jednego końca wypadł brązowo-biały szczeniak. Potrząsnął uszami, które były pogniecione, a następnie podbiegł z nadzieją do pani Barbary.

– O co chodzi, mały? O, dzwonek do drzwi – uśmiechnęła się do pieska. – Słyszałeś samochód? Przyjechał po ciebie ktoś wyjątkowy!

Gdy kobieta otworzyła drzwi, Kasia musiała się powstrzymać, bo miała ochotę wbiec do domu i uściskać szczeniaka, o którym już myślała jako o Rubim. Wiedziała jednak, że nie powinna. Był malutki i pewnie jej nie pamiętał. Musiała być bardzo spokojna i łagodna.

Kasia weszła do salonu, wbijając palce we wnętrze swoich dłoni. Czy Rubi w ogóle będzie ją pamiętał?

Wszystkie szczeniaki stały przy drzwiach cieplarni, wyglądając, kto też nadchodzi. Nagle ciszę rozdarło piskliwe szczekanie i brązowo-biała kulka sierści rzuciła się na drewnianą płytę w drzwiach, szaleńczo ją drapiąc. Dwie małe białe łapki wdrapały się na górę i Rubi przeskoczył przez płytę, gnając do Kasi najszybciej, jak umiał. Znał tę dziewczynkę! To ona go głaskała!

– Wielkie nieba! – wykrzyknęła pani Barbara. – Żaden pies dotąd tego nie zrobił – pospieszyła naprzód. – Nic mu się nie stało?

Rubi otrząsał się lekko oszołomiony. Spadł z dość wysoka jak na takiego małego pieska. Potem jednak zaszczekał znowu i podbiegł do Kasi.

Dziewczynka uklękła i czule go przytuliła.

– Oj, Rubi. Pamiętałeś mnie!

Rozdział piąty

Pani Barbara dała im pudełko do przewiezienia Rubiego do domu. Kasia była nieco zawiedziona, liczyła bowiem, że w samochodzie będzie go tulić, ale mama powiedziała, że to może być niebezpieczne, gdyby piesek zaczął się wiercić i wyrwać z ramion. W kartonie miał się czuć bezpieczniej.

Kasia nie była taka pewna. Nie podobało jej się piskliwe skomlenie, które szczeniak wydawał za jej siedzeniem. W ogóle nie wydawał się szczęśliwy.

– Jak dojedziemy do domu, wpuścimy Rubiego do kuchni, dziewczynki. Taki jest plan – przypomniała mama. – Powinien powoli przyzwyczajać się do nowego domu. Pamiętajcie, że dotąd znał tylko pokój dla szczeniąt. Cały dom może go trochę onieśmielić. Poza tym musimy bardzo ostrożnie przedstawiać go Pchełce.

– Mogę mu pokazać swój pokój? – spytała z nadzieją Kasia.

– Lepiej jeszcze nie – odpowiedział jej tata, gdy skręcili w ulicę prowadzącą do domu. – Przede wszystkim na widok takiego bałaganu mógłby dostać zawału...

Kasia uśmiechnęła się. Była to prawda. Rubi mógłby się tam łatwo zgubić. Gdy tylko samochód stanął, wypięła pas niezdarnymi z podniecenia palcami i delikatnie wyjęła karton z pieskiem z bagażnika. Czuła, jak rusza się w środku, chociaż szła bardzo powoli i ostrożnie.

– Wyciągniemy cię już za chwilę – szepnęła. – Zobaczysz swój nowy dom!

Wniosła go do środka i postawiła pudełko na podłodze w kuchni, po czym uklękła przy nim. Następnie odpięła klamry spinające pudełko w całość. Rubi podnosił na nią wzrok zdezorientowany swoją dziwną podróżą w ciemności. Po chwili jednak rozpoznał Kasię i wydał z siebie cichy, zadowolony pisk, skrobiąc karton pazurkami, by pokazać, że chce wyjść.

– Chodź, Rubi! – uniosła go i czule przytuliła. Patrzył na nią, a jego duże ciemne oczy były lśniące i pełne ciekawości. Potem nagle wyciągnął łebek

i pogłaskał podbródek Kasi, aż prychnęła i zachichotała.

– Wiesz, mnie to nie przeszkadza, ale
mamie bym tak nie robiła – szepnęła do
niego.

Rubi popatrzył na nią z miłością. Był
trochę zdziwiony tym, co się działo wokół – nie było jego braci ani sióstr, nie
było też mamy, jeśli jednak będą go tu
przytulać i się z nim bawić, może nie
będzie tak źle.

Zastanawiał się, czy są tu jakieś inne psy. Nie czuł ich zapachu, ale roztaczała się tu jakaś inna woń, której nie rozpoznawał...

– Jak tam, Kasiu? – z samochodu przyszedł tata. Wraz z mamą i Jolą rozmawiali z sąsiadką i opowiedzieli jej o nowym lokatorze.

– Zaraz pokażę mu jego poduszkę i miskę z karmą – oznajmiła Kasia. Obeszła kuchnię z Rubim, trzymając go w górze, by wyjrzał przez tylne drzwi. Potem postawiła go delikatnie przy poduszce. – Zobacz, tutaj będziesz spał.

Mama weszła do środka, niosąc obrożę i smycz.

– Nie zapomnij o tym, Kasiu. Pamiętaj, co pisali na stronie internetowej. Musimy go trzymać na smyczy na wypadek, gdybyśmy musieli go powstrzymać przed ściganiem Pchełki.

– O tak! – Kasia nachyliła się i zacisnęła jasnoczerwoną obrożę na szyi Rubiego. – Bardzo elegancko! – odrzekła. Zapięła smycz i Rubi popatrzył na nią z zaskoczeniem. Co to było? Przypomniał sobie, że to smycz, jego mama też taką miała.

Powąchał dużą, fioletową poduszkę i kichnął.

Tata parsknął śmiechem.

– Pewnie pachnie czystością. Nie martw się, Rubi, już za parę dni zrobi się zupełnie przytulna i psia.

W tej właśnie chwili weszła Jola, niosąc Pchełkę. Poszła wcześniej na górę, żeby ją przynieść. Kotka większość czasu spędzała na drzemce na łóżku Joli.

Rubi był zachwycony. Podniósł wzrok na Pchełkę i wąsiki mu zadrgały. Czyli stąd pochodził ten ciekawy zapach, który zwrócił jego uwagę! Przyjaciel!

Zatańczył niezdarnie na swoich zbyt
wielkich szczenięcych łapach i zaszczekał radośnie, by się przywitać. Kasia ruszyła za nim, trzymając smycz i uważnie
obserwując zwierzęta.

Sierść na grzbiecie Pchełki zjeżyła
się, a ogon nastroszył tak,
że zdawał się dwa razy

szerszy niż zazwyczaj. Syknęła ostrzegawczo. Nie podchodź!

– Rubi... – powiedziała z niepokojem
Kasia, ale piesek nie słuchał. Nie miał
żadnego doświadczenia z kotami, więc
nie zrozumiał ostrzeżenia. Chciał się
tylko przywitać z tym dużym, puchatym zwierzęciem.

Pchełka znowu syknęła, po czym
miauknęła i prychnęła, spuszczając uszy
po sobie.

Rubi patrzył na nią bardzo zdezorientowany. Potem trochę się cofnął. Nie
rozumiał, co się dzieje, ale widział, że
coś nie gra. Podniósł spojrzenie na Kasię i pisnął, prosząc o pomoc.

– Mówiłam, że jej się nie spodoba! –
oskarżycielskim tonem powiedziała do
mamy Jola. – Oj, Pchełko, nie!

Kotka zeskoczyła jej z rąk i popędziła
przez kuchnię w stronę Rubiego.

Kasia nachyliła się, by go podnieść, gdy Pchełka skoczyła i przeciągnęła łapą po nosie pieska – bez przesadnej siły, po prostu na tyle mocno, by stało się jasne, że go tu nie chce.

Rubi zawył ze zdumienia i strachu. Nos go bolał, ale przede wszystkim był wstrząśnięty. Zdarzały mu się ostre zabawy z rodzeństwem, ale nikt go wcześniej nie zadrapał. Wtulił nosek w sweter Kasi, a gdy go podniosła, żałośnie pociągnął noskiem.

Pchełka zasyczała na niego z triumfem, wciąż jeżąc sierść.

– To było okropne ze strony Pchełki! – zawołała ze złością Kasia. – Próbował się tylko przywitać, a ona go podrapała! Ma skaleczony nosek! – przytuliła mocno pieska, po czym zgromiła wzrokiem Jolę i kotkę.

– Może na początek powinniśmy

przenieść poduszkę Rubiego do spiżarki – powiedział z niepokojem tata, patrząc na nos szczeniaka. – Myślę, że to zbyt wiele dla Pchełki, przywyknąć do tego wszystkiego od razu.

Jola skrzyżowała ramiona i wbiła spojrzenie w sufit.

– Mówiłam, że to zły pomysł – stwierdziła. – Pchełka nie znosi psów, a to jej dom. To się nigdy nie uda.

– No, teraz to też dom Rubiego! – rzuciła w odpowiedzi Kasia. – Pchełka musi się z tym pogodzić.

Kasia usiadła na łóżku w ciemności, opatulona kołdrą wokół ramion, i nasłuchiwała z niepokojem, bo Rubi znowu wydał z siebie żałosne wycie. Wszyscy się zgodzili, że na początku zostanie w kuchni i spiżarce, żeby stopniowo oswajać się z domem. Tak zalecały wszystkie książki i strony internetowe poświęcone psom, zwłaszcza że Rubi wciąż się uczył, jak prosić o wyjście na dwór, kiedy tego potrzebował. Mama nie chciała, żeby pobrudził dywany.

Rodzice ustalili, że przez resztę dnia, po starciu Pchełki z pieskiem, należy trzymać ją od niego z dala. Na tę noc przestawili kuwetę do przedpokoju, a Pchełka jak zwykle spała na łóżku Joli. Kasia błagała rodziców, by pozwolili Rubiemu spać w jej pokoju, tylko przez pierwszą noc, ale mama stanowczo się temu sprzeciwiła.

Rubi zwyczajnie nie rozumiał, czemu nie wolno mu zwiedzać reszty domu. Kasia spędziła w kuchni niemal cały ten dzień, bawiła się z nim i go przytulała, ale szczeniak ciągle był ciekawy, co się dzieje w innych pomieszczeniach.

Rubi dziwił się, dlaczego kotka mogła chodzić wszędzie dokąd chciała, a on musiał siedzieć w środku, z wyjątkiem chwil, gdy zabierali go do ogródka na siusiu.

To nie było w porządku. Piesek zaobserwował, że gdy kotka chciała wejść do kuchni, żeby zjeść trochę karmy, on musiał się przenosić do spiżarki! Nie wiedział, czemu nie może jeść razem z nią. Może by mu coś zostawiła?

Ale najgorsze było to, że teraz wszyscy się już położyli, a on musiał spać w kuchni i był zupełnie sam! Czuł się taki samotny! Zastanawiał się cały czas, gdzie są wszyscy.

Wył tak, że Kasia po prostu nie mogła zasnąć. Siedziała i nasłuchiwała smętnych zawodzeń z dołu, aż w końcu nie była już w stanie tego znieść. Wypełzła z łóżka i owinęła się kołdrą niczym płaszczem, ciągnąc ją za sobą. Mama powiedziała, że Kasia pod żadnym pozorem nie może wziąć Rubiego do swojego pokoju, ale nic nie mówiła o spaniu z nim w kuchni, prawda?

Rubi siedział na swojej poduszce i nerwowo wpatrywał się w ciemność. Jak wszystkie psy, dobrze widział w mroku, ale nie przywykł do przebywania w samotności. Nigdy wcześniej nie musiał być sam. A jeśli Kasia nigdy nie wróci? Nie chciał już zawsze być zdany tylko na siebie! Znowu zaskamlał, lecz potem przestał. Słyszał kroki i dziwne szuranie. Co to było?

Popatrzył z niepokojem na drzwi, mając nadzieję, że to nic potwornego. Może nadchodziła kotka, by znowu się nad nim poznęcać? W jego umyśle była dwa razy większa niż w rzeczywistości, a ogon miała wprost ogromny. Może to był właśnie ten dziwny dźwięk... Rubi pisnął nerwowo.

Kasia podniosła wyżej ciągnącą się za nią kołdrę i delikatnie otworzyła drzwi. Zawołała do niego szeptem.

— Rubi! Hej, słodziutki!

Piesek wydał z siebie głośne westchnienie ulgi i podreptał do niej.

— Oooj! — Kasia zachichotała. — Właśnie wpadłam na krzesło. Jak tu ciemno.

Rubi zaszczekał na znak zgody. Podniósł na nią pełen nadziei wzrok.

— Zobacz, przyniosłam kołdrę. Przyszłam, żeby przez jakiś czas dotrzymać ci towarzystwa. Przywykłeś do spania z mamą, prawda? — Kasia skuliła się tuż przy poduszce szczeniaka, a on skulił się wdzięcznie na jej kolanach. Teraz czuł się o wiele lepiej.

Kasia uśmiechnęła się do niego, gdy zapadł w głęboki sen.

Nareszcie należał do niej! Podłoga w kuchni była lodowata i dziewczynka czuła mrowienie w stopach, ale zupełnie na to nie zważała. Warto było.

Rozdział szósty

W niedzielę rano mama Kasi zeszła na dół i zobaczyła ich oboje skulonych razem. Głowa dziewczynki spoczywała na psiej poduszce, Rubi zaś leżał pod jej kołdrą.

– Kasiu! Myślałam, że jesteś jeszcze w łóżku! Nawet się zdziwiłam, że nie wstałaś i nie bawisz się już z Rubim – kobieta westchnęła, po czym nalała

Kasi soku i napełniła karmą miskę Rubiego. – Mogłam się domyślić.

Dziewczynka uśmiechnęła się.

– Przepraszam, mamo. Był taki samotny. Długo słyszałam, jak skamle i wyje, aż w końcu nie mogłam już tego znieść.

– Rzecz w tym, że dziś w nocy będzie się spodziewał tego samego – mama patrzyła, jak szczeniak pochłania śniadanie. – Nie możesz każdej nocy spać na podłodze w kuchni.

Kasia wzruszyła ramionami.

– Wiem, ta podłoga jest bardzo twarda. Mamo, słowo, więcej tego nie zrobię. Myślę, że to po prostu pierwsza noc i było mu bardzo smutno, nic więcej.

Miała rację. Rubi nigdy wcześniej nie był sam i nie miał pewności, czy ktoś jeszcze po niego wróci. Teraz wiedział, że Kasia i pozostali członkowie rodziny nie znajdują się daleko, że rano ich zobaczy, więc samotność tak mu już nie doskwierała.

Tak naprawdę w niedzielną noc był tak zmęczony zabawą z Kasią w ogródku, że zwinął się na swojej poduszce i zasnął niemal natychmiast. Nie skamlał nawet przez chwilę.

Kilka dni później rodzice postanowili, że Rubi wystarczająco się już zadomowił i można mu pozwolić na dalsze zwiedzanie domu.

– Ale tylko na dole, pamiętaj – zastrzegł tata. – Na piętrze jest tyle rzeczy, które mógłby przypadkiem zniszczyć. Wyobraź sobie, co by się stało, gdyby zaczął gryźć kolekcję butów mamy. Nigdy by mu tego nie wybaczyła!

Kasia pokiwała głową, choć żałowała, że nie może zabrać Rubiego do swojego pokoju. Tak czy owak ciągle nie mogła się doczekać, kiedy położą się razem w salonie, by pooglądać telewizję.

– Chodź, Rubi! – zawołała, stojąc przy drzwiach kuchni i klepiąc się po kolanach. – Chodź, piesku!

Szczeniak patrzył na nią z łebkiem przechylonym na bok. Nie miał pewności, co się dzieje. Nie wolno mu było wychodzić przez te drzwi, prawda? Kiedy wcześniej próbował, słyszał „nie". Wolno podreptał do Kasi, a potem odwrócił się i popatrzył na jej mamę, czekając, czy go nie zbeszta.

Mama parsknęła śmiechem.

– W porządku, Rubi. No, śmiało, idź z Kasią.

Szczeniak zaszczekał radośnie i wesoło potruchtał do przedpokoju. Nowe rzeczy do wąchania! Zaciekawiony minął tornistry oraz kalosze Kasi i Joli, które stały przy drzwiach wejściowych, po czym wetknął nos do salonu. Jola siedziała na sofie, z Pchełką na kolanach, i czytała czasopismo.

Przez ostatnie dni Kasia, Jola, mama i tata bardzo starannie rozdzielali Rubiego i kotkę. Chcieli dać szczenięciu czas na aklimatyzację, a Pchełka musiała przywyknąć do obecności psa w domu.

Pchełka spędzała w pokoju Joli tyle czasu, ile się tylko dało, a do kuchni schodziła tylko po to, by najeść się karmy, cały czas zerkając czujnym okiem na drzwi spiżarki. Potem wybiegała przez kocią klapkę, licząc, że kiedy zechce wrócić, Jola wpuści ją przez drzwi. Teraz podniosła wzrok na Rubiego i syknęła.

– Oj, Pchełko! – westchnęła Kasia. – Nie bądź taka wredna.

Rubi niemal zapomniał o swoim pierwszym spotkaniu z kotką. Był bardzo mały i z natury przyjacielski. Zakładał, że z innymi jest podobnie. Podskoczył do Pchełki i Joli, merdając ogonem, i zaszczekał, cały w emocjach. Kotka wskoczyła na podłokietnik kanapy i prychnęła, wyginając grzbiet w łuk.

Szczeniak opuścił ogon i obejrzał się na Kasię. Chciał się tylko zaprzyjaźnić i zastanawiał się, dlaczego kotka go nie lubi.

– Trzymaj go z dala od Pchełki – powiedziała ze złością Jola. – Denerwuje ją.

– Mama powiedziała, że możemy pooglądać telewizję – odparła Kasia. – Właśnie nadają film o safari. Pomyślałam, że Rubi może go ze mną obejrzeć. Poza tym Pchełka i Rubi muszą na-

uczyć się życia razem. Jeśli przyzwyczaimy ich do przebywania w tym samym pokoju, będzie naprawdę dobrze.

– Może... – mruknęła siostra. – Tylko miej go na oku!

Przez następne pół godziny Pchełka gromiła ich wzrokiem z podłokietnika kanapy, ostrzegawczo machając ogonem, Rubi zaś posyłał jej zaciekawione spojrzenia z ukosa z fotela, gdzie kulił się na kolanach Kasi.

Kotka zaczęła się stopniowo odprężać i po chwili już drzemała, z jednym okiem na wpół otwartym.

Szczeniak przez jakiś czas siedział spokojnie, ale wkrótce zrobił się niespokojny. Zsunął się z kolan Kasi i zaczął zwiedzać. To było znacznie bardziej pasjonujące! Kasia zerkała na niego jednym okiem, ale lwiątka w filmie były takie urocze!

Rubi obchodził pokój i go obwąchiwał. Wszedł za choinkę, kichnął od kurzu pod wielkim regałem z książkami. Zdołał nawet wgramolić się pod kanapę. Było ciemno i ciekawie pachniało. Mógł też wychylić głowę spod mebla, a potem schować się z powrotem, na co Kasia reagowała chichotem. Zabawa była bardzo miła.

Wpełzł pod sofę do samego końca, po czym wyściubił nosek po stronie Joli. Zobaczył tam ciekawy, puchaty przedmiot, zwieszający się w dół i lekko rozkołysany.

Rubi był oczarowany. Przedmiot bujał się z boku na bok, machając do niego. Wyglądał jak jedna z zabawek, które dała mu Kasia: futrzasty, piszczący szczur. Może ten tutaj też zapiszczy, jak się go ugryzie? Wysunął się spod kanapy w chwili, gdy Kasia uświadomiła

sobie, że od jakiejś minuty go nie widziała.

– Gdzie jest Rubi? Jest za kanapą?
O, Rubi, nie!

Ale Rubi już zdążył złapać za ogon
Pchełki...

Rozdział siódmy

Pchełka z wrzaskiem podskoczyła do góry, a wstrząśnięty Rubi zawył – nie spodziewał się, że puchata zabawka zrobi coś takiego... Wyjrzał nerwowo spod kanapy w chwili, gdy kotka wybiegła z pomieszczenia. Nie wiedział, czemu kotka tak się zdenerwowała, przyszło mu do głowy, że może to była jej zabawka.

– Oj, Rubi... – jęknęła z niepokojem Kasia. Starała się, by jej głos brzmiał surowo, lecz nie mogła powstrzymać lekkiego uśmiechu. Pchełka wyglądała tak zabawnie, gdy podskoczyła, zupełnie jak postać z kreskówki.

– Powiem mamie! – warknęła Jola. – Zrobił to specjalnie, a ty go nie pilnowałaś! – z tymi słowami pobiegła za kotką.

Kasia podniosła pieska.

– Oj, Rubi. To był jej ogon. Pewnie o tym nie wiedziałeś, co? Nie zrobiłeś tego celowo, wiem. Nasz plan, żebyście się z Pchełką polubili, nie idzie najlepiej, prawda?

Przez następny tydzień było coraz gorzej. Pchełka, zamiast z czasem przyzwyczajać się do Rubiego, była coraz bardziej wściekła z powodu inwazji na swój spokojny dom. Jak tylko mogła, starała się trzymać z dala od pieska, ale nie mogła przed nim uciec. Wydawało się, że dokądkolwiek pójdzie, jest tam i on.

Rubi nie rozumiał, że Pchełka chce mieć spokój. Ciągle uciekała po schodach na górę, gdy tylko próbował się z nią bawić, a jeśli chciał ją gonić, spotykała go bura.

Wolno mu teraz było wychodzić samemu do ogródka i pewnego popołudnia wydawało mu się, że dopisało mu szczęście, gdy zastał ją drzemiącą na ogrodowej ławeczce w plamie zimowego słońca – nie mogła teraz uciec po schodach! Błyskawicznie wdrapała się jednak na czubek jabłonki i prychnęła na niego, gdy szczekał z nadzieją. W końcu jednak zrezygnował i pobiegł do Kasi, która go wołała.

Wróciwszy do kuchni, położył się na jej kolanach, mimo że zaczęła przed nim odbijać piszczącą piłeczkę. Uszy mu opadły i oparł pyszczek na łapkach, patrząc smutno na tylne drzwi.

– Bardzo chcesz, żeby się z tobą pobawiła, co? – Kasia westchnęła. – Myślę, że Pchełka jest trochę za stara na zabawę.

Usłyszał troskę w jej głosie i czule potarł łebkiem jej ramię.

Kasia jednak miała rację. Pchełka była starą i upartą kotką. Nie lubiła nowości, a bliskość Rubiego była dla niej tak dziwna i irytująca, że nawet nie chciała już jeść jak należy. Poza tym jej karma znajdowała się w kuchni, a tam był on. Łatwiej było po prostu się nie przejmować. Z biegiem dni zaczęła chudnąć.

Kilka dni przed Bożym Narodzeniem Rubi leżał zwinięty na swojej poduszce, był trochę znudzony. Kasia zostawiła go w kuchni, wyjaśniając, że musi iść na górę i w swoim pokoju pakować prezenty, bo to tajemnica i nikt nie może ich zobaczyć. Piesek wciąż nie mógł wchodzić na piętro, ale obiecała mu, że niedługo wróci.

Kasia zamknęła drzwi, zanim poszła na górę, ale Rubi długo ćwiczył i umiał już je otworzyć, chyba że były bardzo mocno zatrzaśnięte. Wsunął pazurki w szczelinę i skrobał, aż uchyliły się ze szczękiem. Był taki mądry! Kasi bardzo długo nie było. Na pewno nie będzie miała nic przeciwko temu, jeśli pójdzie jej poszukać, prawda?

Ruszył w stronę schodów i nagle poczuł się znacznie mniej pewnie. Były ogromne. Niemal nie dostrzegał ich szczytu. Wiedział jednak, że Kasia będzie na górze. Czuł jej zapach, a węch miał doskonały, jak to u psa tropiącego.

Dźwignął się na pierwszy stopień, co

nie było takie trudne, tyle że tych stop-
ni było znacznie więcej niż przypusz-
czał. Westchnął i zaczął się drapać
na kolejny schodek. Minęło dzie-
sięć minut, nim dotarł na sa-
mą górę i kilka razy chciał
już wracać na swoją
wygodną poduszkę.

Ale nowe ku-
szące zapa-
chy na górze
sprawiły, że
wkrótce za-
pomniał, jak
ciężko było się
tam dostać, i za-
czął obwąchiwać
dywan. Ach! Zo-
baczył otwarte
drzwi! Pomy-
ślał, że może

w środku jest Kasia! Jednak nie czuł zapachu Kasi. W pokoju była Pchełka, skulona we śnie na różowej narzucie. Rubi z zapałem wbiegł do środka. Był zachwycony jej widokiem. Jeśli ją obudzi, może się razem pobawią. Wstał, opierając przednie łapki o krawędź łóżka, i polizał nosek kotki. Ledwo go dosięgnął.

Pchełka spała spokojnie, wiedząc, że „ten pies" przebywa na dole i nie musi się martwić. Wtem obudziła się gwałtownie.

Kotka była przerażona tym, że pies znajdował się tuż obok. W pokoju Joli! Przestraszyła się, że już nigdzie nie może być bezpieczna. Zeskoczyła z łóżka i pomknęła przez pokój, szukając drogi ucieczki. Rubi zaskamlał, próbując jej pokazać, że jest przyjazny, kotka jednak widziała tylko jedno: psa w miejscu, które uważała za bezpieczne. Desperacko wdrapała się na zasłony, po czym wskoczyła na szafę.

Słysząc szamotaninę i szczekanie, Jola wbiegła na górę. Kasia wpadła do pokoju tuż za nią.

– Nie wolno mu tu być! – krzyknęła Jola. – Zabierz go z mojego pokoju! Pchełko, wszystko w porządku, zejdź na dół, kici, kici... – odwróciła się do Kasi, która stała przy drzwiach zupełnie przerażona. – No dalej, zabierz go! – krzyknęła ze złością.

Rubi cofnął się. Czuł, że Jola była na niego wściekła, Pchełka chowała się na szafie... Wszystko poszło nie tak! Próbował się tylko zaprzyjaźnić. A teraz znowu wpadł w tarapaty!

Kasia podniosła go i zbiegła na dół.

– Oj, Rubi! Co tam robiłeś? Nie wolno ci ganiać Pchełki, to nieładnie!

Piesek ze smutkiem pomyślał, że dziewczynka się na niego gniewa. Westchnął. Nie chciał być niegrzeczny.

– Co się tam dzieje? – mama stałą u podnóża schodów z niespokojną miną.

– Kasia pozwoliła Rubiemu wejść do mojego pokoju i teraz Pchełka siedzi na szafie! – krzyknęła z piętra Jola. – Mamo, musimy zamknąć go w kuchni, żeby Pchełka się uspokoiła. To nie fair.

– Oj, Kasiu. Czy Rubi znowu drażnił Pchełkę?

Rubi zaskamlał ze smutkiem, słysząc kolejny gniewny głos.

– Jola ma rację, Kasiu – powiedziała mama z naciskiem. – Weź Rubiego z powrotem do kuchni i dopilnuj, żeby drzwi były zamknięte. Tylko się pospiesz, pamiętaj, że dziś rano musimy dokończyć świąteczne zakupy. Powinniśmy już iść.

– Ale mamo, on nie lubi siedzieć zamknięty... – zaczęła Kasia, lecz mama posłała jej surowe spojrzenie, krzyżując ramiona. Dziewczynka westchnęła. – Przykro mi, Rubi. Musisz wrócić do kuchni. Zostań tam i bądź grzeczny, dobrze?

Rubi patrzył z obawą w dużych, ciemnych oczach, jak dziewczynka starannie zamyka drzwi. Był zupełnie sam i wszyscy się na niego gniewali. Zawył żałośnie do sufitu, po czym opadł na swoją poduszkę, nasłuchując głosów Kasi, Joli i mamy szykujących się do wyjścia.

Zaczął się smętnie wiercić, próbując znaleźć wygodną pozycję. Na kaloryferze wisiał kawałek różowego materiału i piesek zrzucił go, gdy się kręcił. Aż podskoczył, gdy spadł mu na poduszkę. Wziął go w zęby, żeby go odsunąć, ale materiał zaplątał mu się w łapki i lekko się podarł. To była bardzo przyjemna zabawa...

Różowy materiał przyjemnie się gryzło. Wydawał miłe dźwięki, gdy szczeniak rwał go, potrząsał i turlał się z nim po podłodze. Poczuł się po tym znacznie lepiej, ale był dość zmęczony. Miał ciężki poranek, bo wspinał się w końcu po schodach.

Zasnął, przykryty strzępami różowej wełny.

Kilka godzin później Kasia, mama i Jola wróciły. Ich głosy rozległy się za drzwiami i Rubi kilka razy drapał w drzwi, ale nikt do niego nie przyszedł. Słyszał, jak Jola mówi do Pchełki, zatem kotce wolno było wychodzić, a jemu nie. Uważał, że to nie było w porządku.

Poczłapał z powrotem na poduszkę i skubnął jeszcze trochę różowego materiału.

– Gdzie kocyk Pchełki, mamo? – zawołała Jola. – W moim pokoju go nie ma, a wiesz, że lubi na nim spać.

– A, uprałam go, bo był bardzo brudny. Powiesiłam go na kaloryferze w kuchni, żeby wysechł – odparła kobieta.

Rubi słyszał, jak Jola zbliża się do drzwi, mamrocząc coś do Pchełki.

– Już w porządku, weźmiemy twój kocyk, a potem będziesz się mogła wyspać.

Gdy starsza z sióstr otworzyła drzwi kuchni, tuląc Pchełkę, nieszczęsny

brązowo-biały szczeniak podniósł na nie
skruszone spojrzenie, a z pyszczka zwie-
szały mu się strzępy różowego kocyka.

Rozdział ósmy

Rubi leżał cicho na swojej poduszce, tylko co jakiś czas wydając z siebie smutny, żałosny pisk. Jola bardzo się rozgniewała, tak bardzo, jak jeszcze nikt się na niego nie gniewał. Powiedziała, że jest niedobrym psem, mówiła też wiele innych okropnych rzeczy. Nawet Kasia ofuknęła go, że był niegrzeczny. Dotąd nie słyszał, żeby aż tak się zdenerwowała. A najgorsze, że miały rację. Był niegrzeczny.

Drzwi kuchni szczęknęły i otworzyły się łagodnie, po czym do środka weszła Kasia, ubrana w piżamę. Piesek popatrzył na nią smutno. Zastanawiał się, czy ciągle się na niego gniewała.

– Oj, Rubi. Przepraszam, że krzyczałyśmy. Nie wiedziałeś, prawda? Pchełka bardzo się zdenerwowała, a Jola jest wściekła – Kasia westchnęła. – Myślałam, że ty i Pchełka polubicie się, ale po prostu nic z tego nie wychodzi – delikatnie podrapała go po uszach i piesek położył pyszczek na jej kolanach, spoglądając na nią przepraszająco.

Kasia obejrzała się niepewnie na drzwi, po czym wzięła go w ramiona.

– Chodź. Obojgu nam jest smutno i nie powinniśmy być sami. Rodzice już się położyli, więc przemycę cię do mojego pokoju. Musimy być bardzo cicho, bo jak ktoś nas przyłapie, wpadniemy w poważne tarapaty, dobrze?

Rubi wtulił się wdzięcznie w jej ramiona, a ona na palcach wspięła się na górę. Ułożyła go obok siebie, a on poczuł się szczęśliwy pierwszy raz, odkąd Jola była taka zła. Był szczęśliwy, że przynajmniej Kasia ciągle go kochała.

Następnego ranka Jola otworzyła na oścież drzwi pokoju Kasi i wpadła do środka z paniką na twarzy.

Kasia przewróciła się na drugi bok.

– O co chodzi? – spytała zbyt zaspana, by pamiętać, że powinna schować Rubiego. Na szczęście siostra wydawała się zbyt zaaferowana, by go zauważyć.

– Widziałaś Pchełkę? – spytała z niepokojem.

Kasia pokręciła głową i ziewnęła.

– Nie wróciła na noc! Byłam pewna, że rano będzie w domu. Czasami zostaje dłużej na dworze, ale nigdy na całą noc – zmarszczyła brwi do Kasi. – Wiesz, czemu jej nie ma, prawda? Z powodu Rubiego. To on ją wygonił!

– Nieprawda... – zaczęła Kasia, ale siostra nie pozwoliła jej skończyć.

– Pewnie, że prawda! Podjada jej karmę, gania ją, ugryzł ją w ogon, a teraz poszarpał jej ulubioną rzecz! Aż dziwne, że wcześniej nie uciekła!

Kasia usiadła na łóżku, ostrożnie nakrywając szczeniaka kołdrą.

– Pchełka jest stara i marudna. Nigdy nie była dla Rubiego miła. To ona go podrapała!

– Jest kotką! Koty nie lubią psów!

Mówiłam o tym tobie i rodzicom, ale nikt mnie nie słuchał i teraz ją straciliśmy. To ty chciałaś psa. Wszystko przez ciebie!

– Wcale nie! – odkrzyknęła Kasia, aż Rubi zatrząsł się przy niej. Nie cierpiał krzyku.

– Właśnie, że tak! I przestań chować Rubiego, bo wiem, że go tu masz i powiem o tym mamie!

Jola wymaszerowała z pokoju, a szczeniak zaskamlał.

– W porządku, piesku – mruknęła Kasia. – Wszystko będzie dobrze...

Lecz sama wcale nie miała co do tego pewności.

Kasia i Rubi popadli w niełaskę. Jola wciąż utrzymywała, że Pchełka przez Rubiego uciekła z domu. Kasia musiała przyznać jej rację, ale przecież szczeniak nie zrobił tego specjalnie. Po prostu był przyjacielskim, rozbrykanym, trochę niezdarnym szczeniakiem. Na pewno nie chciał zdenerwować Pchełki!

Tata zadzwonił do weterynarza, by powiedzieć, że Pchełka zaginęła. Kotka miała wszczepiony chip, gdyby więc ktoś przyniósł ją do kliniki, weterynarz od razu mógłby sprawdzić, do kogo zwierzak należy. Ale rodzice byli przekonani, że niedługo wróci.

– Minęła tylko jedna noc, Jolu – powiedziała uspokajająco mama przy śniadaniu, obejmując starszą córkę.

Kasia usiadła po drugiej stronie stołu i czuła się bardzo źle. Też martwiła się o Pchełkę, a mama ostro ją zbeształa za to, że Rubi przebywał w jej pokoju. Teraz leżał pod stołem, opierając nosek na jej stopach. Wyczuwał, że wszyscy się denerwują, co było zupełnie okropne.

– Wróci, jak tylko zgłodnieje – zapewniał tata. – No i pamiętaj, że dziś jest pierwszy dzień mojego urlopu, więc później mogę ci pomóc jej szukać, gdyby się nie pojawiła.

– Zostały tylko dwa dni do gwiazdki! – załkała Jola. – A jeśli Pchełka nie wróci na Boże Narodzenie?

Sęk w tym, że Pchełka nie chciała, by ją znaleziono. Czuła się źle i chciała się schować przed ludźmi, a zwłaszcza przed psami. Gdy zobaczyła swój ukochany kocyk w strzępach na podłodze kuchni, zrozumiała, że nie może dłużej zostać w tym domu.

Wyszła z domu i nie zamierzała wracać. Przynajmniej dopóki będzie tam ten pies. Przeszła smętnie przez ogródek, przeczołgała się pod ogrodzeniem i ruszyła alejką prowadzącą do głównej drogi. Chciała znaleźć się jak najdalej, a gdy Jola skończyła krzyczeć na Kasię i Rubiego, kotka była już zbyt daleko, by usłyszeć jej gorączkowe wołanie.

Pchełka lubiła przebywać na dworze. Nieźle polowała – lubiła dawać Joli prezenty w postaci myszek – i uwielbiała wygrzewać się na słońcu w ogródku. Tyle że teraz było bardzo zimno i czuć było zapach mroźnego powietrza. Było też zupełnie inaczej, gdy przebywała na zewnątrz zupełnie sama i wiedziała, że nie może po prostu wślizngąć się do środka przez kocią klapkę, by znowu znaleźć się w bezpiecznym, ciepłym miejscu.

Spędziła noc skulona pod komórką w ogródku, kilka ulic od swojego domu. Było strasznie. Mimo wszystko nie mogła wrócić. Gdy jednak obudziła się rano głodna i zesztywniała z zimna, pożałowała, że nie ma przy niej Joli, która by ją przytuliła i otworzyła jedną z jej ulubionych rybnych puszek na śniadanie. Może powinna wrócić do domu, przynajmniej żeby coś zjeść. Potem może znowu wyjść, jak już zobaczy Jolę...

Kotka wypełzła z brudnej kryjówki, którą sobie znalazła, po czym z niepokojem wciągnęła powietrze w nozdrza – nie wiedziała, w którą stronę powinna iść do domu.

W nagłym przypływie paniki wskoczyła na szczyt okalającego ogród muru i rozejrzała się z niepokojem. Nie miała pojęcia, gdzie jest! Wczoraj tak rozpaczliwie chciała uciec, że nie starała się za-

pamiętać drogi powrotnej. Teraz wszystkie ogródki wyglądały tak samo i żaden nie był jej ogródkiem...

Rozdział dziewiąty

Było to najsmutniejsze Boże Narodzenie, jakie przeżyli. Cała rodzina siedziała w salonie przy choince z zapalonymi lampkami i starała się cieszyć z prezentów. W tle rozbrzmiewały kolędy i z pozoru wyglądało to na idealne święta. Nawet Rubi miał lametę na obroży. Było też jednak wgłębienie wielkości kota z tyłu kanapy, gdzie Pchełka powinna czaić się do skoku na szeleszczący papier do pakowania prezentów. Wszyscy o niej myśleli.

– Twoja kolej, Jolu! – powiedziała pogodnie mama.

Jola popatrzyła na stertę paczek przed sobą, lecz tak naprawdę jakby ich nie widziała. Trzymała w rękach plastikowe pudełko ze zdjęciem, które bardzo przypominało Pchełkę. Kasia popatrzyła na nią żałośnie. Była z Jolą w sklepie ze zwierzętami, gdy to kupiła: luksusowe kocie „czekoladki", które miały być prezentem gwiazdkowym dla Pchełki.

Z kącików oczu Joli pociekły łzy i mama westchnęła.

– Resztę prezentów zostawmy na później.

Tata wstał.

– Dalej, Kasiu, pora na prezent gwiazdkowy dla Rubiego!

Kasia skinęła głową. Razem z tatą już dawno zaplanowali, że w Boże Narodzenie zabiorą pieska na pierwszy spacer. Nie mogła się tego doczekać, odkąd Rubi pojawił się w domu, jednak musieli zaczekać, aż otrzyma wszystkie szczepienia, by mógł wychodzić i spotykać się z innymi psami. Zamierzali zabrać go tylko do parku w pobliżu szkoły Kasi i Joli, by za bardzo go nie zmęczyć.

– Rubi, spacer, chodź!

Piesek pognał do drzwi wejściowych, skacząc wokół nóg Kasi, a przy tym piszcząc i skamląc z podniecenia. Wychodzili! Kasia trzymała psią smycz. W swoim starym domu Rubi widział inne psy na smyczach i wiedział, że oznacza to spacer.

– Rubi, uspokój się! Ćśśś! Słuchaj, jeśli będziesz się ruszał, to ci jej nie założę! – Kasia trochę się śmiała, a trochę gniewała. Próbowała przypiąć smycz do obroży Rubiego, ale on ciągle lizał jej dłoń i szczekał, a potem podbiegał do drzwi i je drapał.

Tata wziął swój płaszcz i wepchnął do kieszeni plik papierów.

– Co to takiego? – spytała Kasia.

Tata westchnął.

– Jeszcze trochę ogłoszeń. Obiecałem Joli, że je rozwieszę.

– Aha... – Dziewczynka skinęła głową.

Nagle radość z pierwszego spaceru nieco ustąpiła. Przez ostatnie dni Jola wytapetowała całą okolicę ogłoszeniami, lecz nikt nie zadzwonił z informacją, że widział puchatą, burą kotkę. Kasia pomyślała, że może powinna spytać siostry, czy też nie wziąć ogłoszeń, tyle że Jola się do niej nie odzywała.

Szczeniak podniósł na nich wzrok i znowu zaskamlał. Wyczuł w Kasi jakąś zmianę, zdawał sobie sprawę, że nagle przestała być szczęśliwa. Pies domyślał się, że to przez Pchełkę, bo wszyscy byli z jej powodu nieszczęśliwi. Też za nią tęsknił, chociaż nie chciała się z nim bawić. Rubi smętnie zwiesił głowę.

Jola weszła do przedpokoju, a w ślad za nią mama, która spoglądała na zegarek.

– Muszę zająć się pieczonymi ziemniakami i tak dalej. Idź z nimi, Jolu. Nie możesz tu siedzieć cały dzień. Wiem, że nie chcesz, ale świeże powietrze dobrze ci zrobi.

– Oj, mamo, nie... – bąknęła Jola.

– Mówię poważnie. Idź włożyć płaszczyk – krótko uściskała Jolę, po czym lekko pchnęła ją w stronę drzwi. – Idź!

Nawet Jola, snująca się za nimi niczym gradowa chmura, nie powstrzymywała Rubiego przed tańcem i owijaniem

smyczy wokół nóg Kasi, gdy wszyscy
wyszli za drzwi. Wokół było tak wiele
ciekawych rzeczy, tak wiele nowych zapachów. Miał pewność, że przy tej ulicy
musi mieszkać przynajmniej sto innych
psów, wyczuwał je wszystkie! Nagle

przystanął i Kasia omal nie potknęła się o smycz.

– Zdaje się, że Rubi może niedługo potrzebować lekcji posłuszeństwa – powiedział tata ze śmiechem.

Kasia próbowała namówić pieska, by szedł dalej, ale Rubi nie słuchał. Szczeniak wpadł na świetny pomysł. Wyraźnie wyczuwał wszystkie te psy. Zapachy to była jego specjalność. Może więc zdoła wywęszyć Pchełkę! W końcu ruszył naprzód, nie dając swoim nozdrzom chwili wytchnienia. Unosiło się tu też wiele kocich zapachów...

Pchelka chowała się za dużym, cuchnącym śmietnikiem, na maleńkim podwórzu za rzędem sklepów po drodze do szkoły Kasi i Joli.

Okropne miejsce. Były tam szczury, a choć Pchełka lubiła łowić myszy, szczury to było zupełnie coś innego, duże i budzące grozę. Kuliła się w poszarpanym kartonowym pudle i co jakiś czas przemykał obok niej szczur. Miejsce miało tylko jedną zaletę: wokół nie brakowało jedzenia, chociaż nie było tak smaczne jak rybna karma z puszki, którą dawała jej Jola. Kotka bardzo tęskniła, lecz myślała, że dziewczynce już na niej nie zależy, bo wpuściła do domu psa – nawet do ich pokoju. To nie był już dom Pchełki. A Jola już jej nie kochała.

Ale co kotka miała zrobić? Obok przebiegł kolejny szczur i wyszczerzył do niej zęby. Nie mogła zostać, ale nie miała pojęcia, dokąd pójść. Wiedziała, że potrzebuje nowego domu. Ale tak naprawdę wcale go nie chciała, marzyła, o tym, aby odzyskać swój stary dom. Kotka chciała nawet podzielić się domem z psem, jeśli od tego ma zależeć to, że wróci do Joli.

Tylko Rubi cieszył się spacerem. Biegał w kółko, niuchał i radośnie drapał, gdy dotarli do sklepów i czuł tyle ciekawych zapachów. Bez wątpienia były tu też koty.

Jola milczała i człapała za nimi ze zwieszoną głową. Tylko gdy w zasięgu wzroku pojawiał się jakiś kot, z nadzieją podnosiła wzrok, by za chwilę westchnąć i znowu opuścić spojrzenie na chodnik.

– Chyba będzie padał śnieg – tata spoglądał w niebo. – Chmury mają taki żółtawy odcień. I zrobiło się bardzo zimno. Zmarzłem na kość. Może już wrócimy, dziewczynki?

– Mhm. Chodź, Rubi – Kasia lekko szarpnęła smycz. Rubi jednak nie słuchał. Parł naprzód, napinając smycz, wyraźnie podekscytowany. Potem odwrócił się, posłał Kasi rozgorączkowane spojrzenie i zaszczekał ostro, nagląco, jakby chciał zapytać, czy dziewczynka też wyczuwa ten zapach?

– Rubi, idziemy do domu, chodź, piesku. Jednak szczeniak wiedział, że nie mogą teraz wrócić, muszą iść za tym zapachem. Szczeniak popatrzył na nią z niepokojem. Co zrobić, żeby zrozumiała? Miał okropne przeczucie, że nic z tego nie wyjdzie. Był jednak pewien, że poznaje ten zapach i musiał to zbadać... Popatrzył przepraszająco na dziewczynkę i zrobił krok w jej stronę, zmniejszając naprężenie smyczy.

– Dobry piesek – pochwaliła Kasia z ulgą w głosie.

Wtedy Rubi odskoczył nagle w tył, wyrywając jej smycz z dłoni, i popędził wąskim zaułkiem w ślad za znajomą wonią. Zastanawiał się, skąd też ona dochodziła.

Kasia przez chwilę patrzyła na swoją dłoń, jakby się spodziewała, że smycz ciągle w niej będzie. Potem puściła się biegiem za pieskiem, gorączkowo go wołając.

– Kasiu! Rubi! – tata patrzył na chmury i obejrzał się w ostatniej chwili, by zobaczyć, jak również Kasia znika w głębi zaułka.

Piesek wbiegł na niewielkie podwórko, ciągnąc za sobą smycz, po czym zatrzymał się, rozglądając się dookoła. Teraz, gdy się tu znalazł, otoczyło go wiele innych woni. Pachniało starym jedzeniem, a także dziwnymi zwierzętami, których nie znał. Ale wśród tych wszystkich zapachów, czuł wyraźnie zapach Pchełki. Wiedział, w którą stronę powinien iść. Podbiegł do śmietników, z na-

dzieją wciskając nos między pojemniki. Tak! Pchełka tam była! Skulona w starym kartonowym pudle, patrzyła na niego zalęknionym wzrokiem.

Rubi zaszczekał z radości. Udało mu się ją znaleźć! Z podnieceniem zawołał Kasię, a potem skoczył do kotki. Bardzo się cieszył na jej widok. Teraz wszyscy będą szczęśliwi! Polizał Pchełkę po nosie, a ona zadrżała i syknęła, cofając się w głąb pudła. Piesek zrobił niepewny krok w tył. Nie wiedział, dlaczego kotka nie cieszy się na jego widok.

Pchełka wydała z siebie ciche, smutne miauknięcie. Nie widziała Joli. Może ten pies jej pokaże? Powoli wyszła z pudła, lekko jeżąc sierść na grzbiecie. Wydawało się, że mówi do Rubiego, że nie chce, aby ją lizał w nos, ale tak naprawdę nie jest na niego zła.

Kasia wpadła na podwórko, wołając gorączkowo.

– Rubi! Rubi, gdzie jesteś? – dostrzegła jego czerwoną smycz, ciągnącą się pomiędzy pojemnikami na śmieci. – Oj, piesku, jesz jakieś paskudztwo? – podbiegła do niego, wciskając się między śmietniki, i Rubi podniósł na nią dumny wzrok, gdyż odnalazł Pchełkę!

– Co tam masz? – spytała Kasia, z pewnym ociąganiem zaglądając do pudła. Miała niemiłe przeczucie, że szczeniak znalazł coś obrzydliwego. – Pchełka! Och, Pchełka! – obróciła się na pięcie. – Jolu, Jolu, chodź tu szybko!

Jola i tata właśnie szli w ich stronę.

– Złapałaś go! – wykrzyknął tata. – Całe szczęście.

– Tak, ale patrzcie! – podniosła Rubiego i czule go uściskała. – Jolu, chodź coś zobaczyć! – cofnęła się, by siostra mogła zajrzeć do pudła. – Rubi ją znalazł. Pewnie poczuł jej zapach. Dlatego tu przybiegł. Jest taki mądry.

Jola opadła na kolana.

– Pchełka! – szepnęła.

Kotka wyskoczyła z pudła i Jola ją

podniosła. Pchełka wtuliła się w jej płaszczyk, mrucząc tak donośnie, że aż trzęsły jej się boki.

– Kasiu, on ją znalazł! – trzymając Pchełkę w ramionach, Jola odwróciła się do siostry i Rubiego. – Nie mogę w to uwierzyć...

Rubi wysunął łebek z ramion Kasi, a Pchełka, o dziwo, nie parsknęła na niego ani nie syknęła. Lekko przymknęła oczy, gdy polizał ją po nosie. Nie wyglądała, jakby sprawiało jej to przyjemność, ale mu na to pozwoliła.

– Zaprzyjaźnili się! – stwierdziła ze zdumieniem Kasia.

Pchełka zgromiła ją wzrokiem, jakby chciała powiedzieć, żeby nie wyciągać, tak daleko idących wniosków.

Była to jednak prawda. A gdzieś nad ich głowami z nieba zaczęły powoli padać pierwsze płatki świątecznego śniegu.

– Pchełko, Rubi, indyk! – Kasia roześmiała się na widok obu zwierzaków
czekających niecierpliwie przy swoich
miskach. – Tylko troszeczkę. Patrzcie,
to wasz świąteczny obiad.

– Chodź zjeść swój, Kasiu – powiedziała mama. – Tata już prawie skończył.

– Spokojna głowa, wezmę dokładkę –
odparł tata z pełnymi ustami.

Jola też niewiele jadła. Obie dziewczynki co rusz przerywały posiłek, z radością patrząc, jak Pchełka i Rubi po-
chłaniają indyka.

– Mam nadzieję, że Pchełka polubi
swój nowy kocyk – powiedziała Kasia,
nie zauważając, że wymachuje pieczo-
nym ziemniakiem.

– Na pewno, zobacz, już chce go wy-
próbować. To był wspaniały prezent,
Kasiu – siostra uśmiechnęła się do niej
i Kasia odpowiedziała uśmiechem. Miała wrażenie, że pierwszy raz od wielu

tygodni Jola uśmiecha się do niej z taką łatwością. Wyglądało na to, że dzielący je mur gniewu właśnie runął.

Pchełka podeszła z namysłem do nowego, różowego, miękkiego kocyka,

schludnie ułożonego przy kaloryferze. Kasia kupiła go już parę tygodni temu w sklepie zoologicznym. Zwróciła uwagę, że stary kocyk Pchełki jest poprzecierany i wyblakły, stwierdziła więc, że to będzie doskonały prezent pod choinkę.

Kotka okrążyła go kilka razy, po czym ostrożnie na niego weszła, badając podłoże łapkami. Położyła się, niczym modelowy obraz spokojnego, najedzonego kota, i zamruczała.

Rubi skończył wylizywać resztki smacznego indyka ze swojej miski, po czym szybko liznął miskę Pchełki, na wypadek, gdyby coś tam zostało. Westchnął z zadowoleniem. Potem podreptał do kocyka kotki i popatrzył na nią z nadzieją.

Pchełka popatrzyła na niego z rezygnacją. Skoro musisz – zdawała się mówić.

Kasia i Jola patrzyły, wstrzymując oddech, a Rubi pisnął z zapałem i ułożył się przy kotce, kładąc pyszczek obok jej pyszczka.

Pchelka wsparła łapkę na jednym z jego zawiniętych, brązowych uszu. Oczywiście, skoro już Rubi leżał na jej kocu, miał się przynajmniej nie ruszać.

Piesek popatrzył z miłością na Kasię i ziewnął. Dwie minuty później oboje, kotka i szczeniak, spali już głęboko.

Jola objęła ramiona Kasi, a ta się uśmiechnęła. Było to jednak wspaniałe Boże Narodzenie.

Ktoś ukradł
Prążka!

Holly Webb

WYDAWNICTWO 🦉 ZIELONA SOWA

Polecamy:

Na ratunek Rufiemu!

Holly Webb

WYDAWNICTWO ZIELONA SOWA

Zaopiekuj się mną

www.zaopiekujsiemna.pl

Mały Rubi

w tarapatach

Czytaj inne książki Holly Webb:

Biedna, mała Luna

Czaruś, mały uciekinier

Figa tęskni za domem

Gdzie jest Rudek?

Gwiazdko, gdzie jesteś?

Kora jest samotna

Kto pokocha Psotkę?

Ktoś ukradł Prążka!

Mały Rubi w tarapatach

Mgiełka, porzucona kotka

Na ratunek Rufiemu!

Samotne święta Oskara

Smyk, uprowadzony szczeniak

Wąsik, niechciany kotek

W poszukiwaniu domu

Wróć, Alfiku!

Zagubiona w śniegu